Gilbert **Delahaye** ◆ Marcel **Marlier**

martine

découvre la musique

casterman

Martine

Joyeuse et curieuse,
Martine adore s'amuser
avec ses amis et
son petit chien Patapouf.
Ensemble, ils découvrent

le monde et vivent
de véritables aventures.
Une chose est sûre :
avec Martine, on ne
s'ennuie jamais !

Léa

Patapouf

Cette jeune violoncelliste passe
les vacances chez son grand-père.
En quelques leçons, elle transmet
à Martine sa passion de la musique...

Ce petit chien est un vrai clown !
Il fait parfois des bêtises…
mais il est si mignon que Martine
lui pardonne toujours !

Martine passe les vacances au camping de la Grande Sapinière.
D'habitude, les allées grouillent de monde… Mais, cet après-midi,
le lieu est presque désert.

– Qu'est-ce qui se passe ? demande Martine à deux filles qui partent
se baigner.

– Il y a un festival de musique au village !

Martine file sur son vélo.

Très vite, la voilà entourée de notes joyeuses.

Sur la grande place, on aperçoit plusieurs musiciens en costume,

chacun avec son instrument : il y a des trompettes, des cors,

des clairons…

«Ouaf! Ouaf!» fait Patapouf en se dressant devant le chef d'orchestre.

À croire qu'il veut participer au concert !

La fanfare se met en marche !

Les majorettes ouvrent le cortège, suivies des cuivres et

des percussions. Martine observe le spectacle avec admiration.

«Si seulement je savais jouer d'un instrument…» pense-t-elle.

L'orchestre marque une pause quelques rues plus loin.

La foule entoure les musiciens.

– Elle est bizarre, cette trompette ! constate Martine.

– C'est un bombardon, explique une majorette.

– Je peux essayer ?

Martine porte l'embouchure à ses lèvres et souffle de toutes

ses forces… POUÊÊÊT !

– Le violon, c'est peut-être plus facile, pense Martine en regardant, un peu plus loin, un orchestre à cordes qui se met à jouer sur une grande estrade.

Il y a des instruments de toutes tailles : les plus petits sont des violons ; puis viennent les altos ; les plus gros sont les violoncelles, et surtout les contrebasses.

«Quelle harmonie ! songe la fillette. Même les archets semblent danser ! »

À l'entracte, Martine s'approche
d'une violoncelliste.
– Tu joues tellement bien… lui dit-elle.
C'est difficile d'apprendre ?
– Viens me voir demain, propose
la jeune fille. Je te montrerai les bases.
Mon prénom, c'est Léa. J'habite
la grande maison, là-bas.
– Moi, c'est Martine ! Merci pour ton
invitation, je viendrai, c'est certain !

Pour finir la journée, un groupe

de musiciens joue un dernier

morceau

au soleil couchant.

– Je connais cette chanson !

s'écrie Martine. Elle passe souvent à la radio !

La fillette voudrait continuer à danser mais il se fait tard.

Il est temps de retourner au camping.

Les parents de Martine l'attendent devant la caravane.

– On commençait à s'inquiéter… dit sa maman.

– Pardon… s'excuse la fillette. Mais le festival de musique était tellement chouette que je n'ai pas vu l'heure ! Je me suis même fait une nouvelle amie… Elle s'appelle Léa et elle va m'apprendre à jouer du violoncelle !

Le lendemain matin, Martine enfourche son vélo. Elle file rejoindre Léa.

La violoncelliste l'accueille avec un grand sourire.

– D'abord, je vais te jouer un morceau, propose-t-elle.

Martine admire ses gestes habiles. La mélodie qui s'élève

de l'instrument est belle, entraînante et élégante à la fois !

– Un petit jeu pour voir si tu as l'oreille musicale... propose Léa.

Je remplis ces verres d'eau : le premier à moitié, le deuxième

aux trois quarts, le suivant jusqu'en haut… Puis, je les fais tinter

les uns après les autres. Tu entends la différence ?

– Oui, certains sons sont aigus, et d'autres plus graves.

– Bravo, Martine ! Tu as l'ouïe très fine ! Il y a aussi ceux

que l'on appelle les sons intermédiaires. Tu les reconnais ?

– J'avais ton âge quand j'ai reçu mon premier violoncelle, explique Léa.

C'est mon grand-père qui me l'a offert. Le voici.

– Il est magnifique…

– Tu pourrais t'entraîner dessus, si tu veux !

– Merci, Léa. Avec un si bel instrument, je vais vite faire des progrès !

En quelques jours, les deux filles sont devenues très amies.

Martine attend chaque leçon avec impatience. Léa lui enseigne

les gammes, la position des doigts et comment bien pincer les cordes.

– Quand est-ce que je pourrai jouer un vrai morceau ? demande

la fillette.

– Je dois encore t'apprendre à tenir ton archet. Après, tu seras prête !

Le lendemain, Léa confie un archet à Martine.

– Il faut le faire glisser sur les cordes pour qu'elles vibrent.

– Oh là là, ça grince !…

– Ton geste est trop raide. Détends tes doigts !

Avec l'aide de son amie, Martine réussit enfin sa première note…

Un *mi* parfaitement clair !

Cette nuit-là, Martine fait un drôle de rêve…

Elle s'imagine jouant du violoncelle devant les montagnes :

un morceau fluide et sans fausse note qui s'élève vers l'horizon…

Léa, assise à côté d'elle, la contemple avec fierté, et Patapouf

l'accompagne d'un «Aoooouuuuh!» mélodieux. Quelle scène paisible !

Le lendemain, Martine raconte son rêve à Léa.

– C'est que tu es prête à jouer pour de bon ! Justement,

j'ai une surprise pour toi…

Elle emmène son élève dans le jardin. Trois tabourets

sont installés en cercle.

– Papi et moi, on va t'accompagner ! On formera un trio !

Martine, Léa et grand-père prennent l'habitude de jouer

ensemble tous les jours.

– Tu es très douée, dit le vieux monsieur. Tu devrais continuer

à t'entraîner après les vacances.

Mais Martine semble dépitée ; elle n'a pas de violoncelle à la maison.

– Il y a forcément une solution. Je vais en parler à tes parents…

Au camping, les parents de Martine sont déjà en train de préparer la voiture pour le retour des vacances. Quand le grand-père de Léa arrive, ils l'invitent à entrer dans la caravane.

– Votre fille a un don pour le violoncelle ! Ce serait dommage qu'elle abandonne. Je vous conseille de l'inscrire au conservatoire.

– Excellente idée, répond la maman de Martine. Je suppose qu'il faudra acheter un instrument ?

– Nous vous prêterons celui de Léa le temps qu'il faut.

– Oh! Merci! s'écrie Martine. J'en jouerai tous les jours et je montrerai même les bases à Jean!

Patapouf sautille et aboie gaiement.

– Toi aussi, je t'apprendrai, lui promet la fillette. Tu deviendras le premier chien musicien!

Retrouve **martine** dans d'autres aventures !

martine à la ferme

martine en voyage

martine à la mer

martine au cirque

martine vive la rentrée !

martine à la fête foraine

martine fait du théâtre

martine à la montagne

martine fait du camping

martine en bateau

martine et les quatre saisons

martine à la maison

martine au zoo

martine fait les courses

martine en avion

martine monte à cheval

martine au parc

martine garde son petit frère

martine fête son anniversaire

martine jardine

martine fait du vélo

martine petit rat de l'opéra

martine à la fête des fleurs

martine fait la cuisine

martine apprend à nager

martine est malade

martine en vacances

martine prend le train

martine fait de la voile

martine et le petit moineau

martine et le petit âne

martine fête maman

martine en montgolfière

martine à l'école

martine découvre la musique

martine a perdu son chien

martine dans la forêt

martine et le cadeau d'anniversaire

martine et la sorcière

martine un mercredi pas comme les autres

martine la nuit de Noël

martine déménage

martine se déguise

martine et les chatons

martine et les lapins du jardin

martine à l'hôpital

martine baby-sitter

martine en classe de découverte

Casterman
Cantersteen 47
1000 Bruxelles

www.casterman.com

ISBN : 978-2-203-10701-4
N° d'édition : L.10EJCN000513.C002
© Casterman, 2016
D'après les albums de Gilbert Delahaye et Marcel Marlier.
Achevé d'imprimer en mars 2018, en Italie.
Dépôt légal : octobre 2016 ; D.2016/0053/170
Déposé au ministère de la Justice, Paris (loi n°49.956
du 16 juillet 1949 sur les publications destinées à la jeunesse).